Formas DE MUSEO

Título original: *Museum Shapes.*
Publicado originalmente por: Little, Brown & Company,
de Time Warner Book Group.
Todas las obras de arte reproducidas en este libro provienen
de las colecciones del Metropolitan Museum of Art.
La Web del Metropolitan Museum of Art es www.metmuseum.org

Obra de Josef Albers © The Josef and Anni Albers Foundation / Artists Rights Society (ARS), Nueva York.
Obra de Paul Klee © Artists Rights Society (ARS), Nueva York / VG Bild-Kunst, Bonn.
Obra de Elie Nadelman © Propiedad de Elie Nadelman.
Obra de Pablo Picasso © Propiedad de Pablo Picasso / Artists Rights Society (ARS), Nueva York.
Producido por el Departamento de Publicaciones Especiales, The Metropolitan Museum of Art:
Robie Roge, Director de Publicaciones; Jessica Schulte, Editora de Proyectos; Anna Raff, Diseñadora; Gillian Moran, Asociado de Producción.
Todas las fotografías son del Estudio de Fotografía de The Metropolitan Museum of Art, salvo que se indique el contrario.

© de esta edición, RBA Libros Pérez Galdós, 36. 08012 Barcelona.
Teléfono: 93 217 00 88 Fax: 93 217 11 74 www.rbalibros.com / rba-libros@rba.es

Primera edición: octubre, 2006.
Diagramación: Editor Service, S.L.

ISBN: 84-7871-658-0
Ref: SNAE090

Formas

DE MUSEO

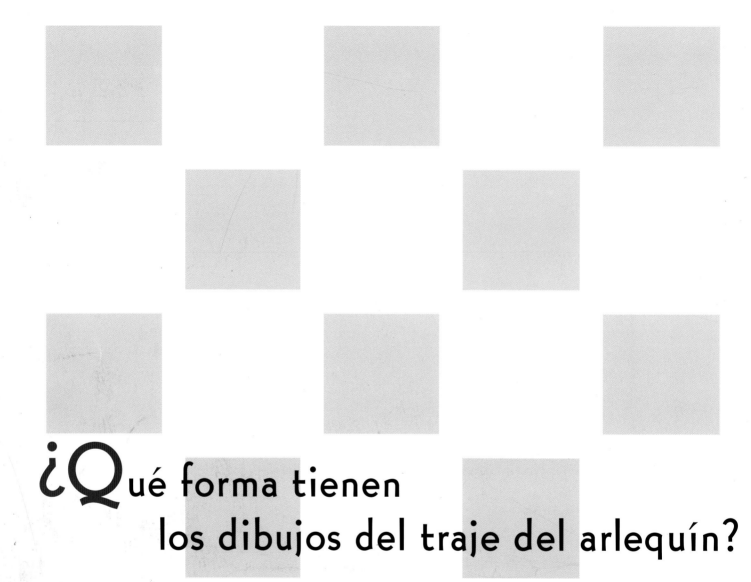

¿Qué forma tienen
los dibujos del traje del arlequín?

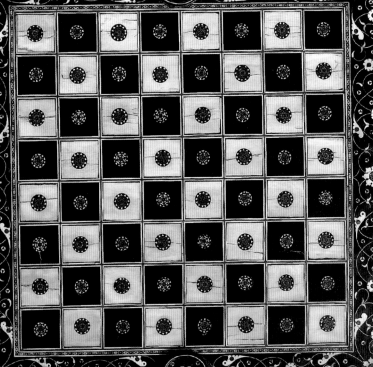

CUADRADO

¿Qué forma tiene la rueda?

CÍRCULO

¿Qué forma tienen las banderas?

RECTÁNGULO

¿Qué forma tiene el sombrero de este señor?

TRIÁNGULO

¿Qué forma tiene el espejo de esta señora?

ÓVALO

¿Qué forma tiene
la boca del acantilado?

ARCO

¿Qué forma tiene la luna?

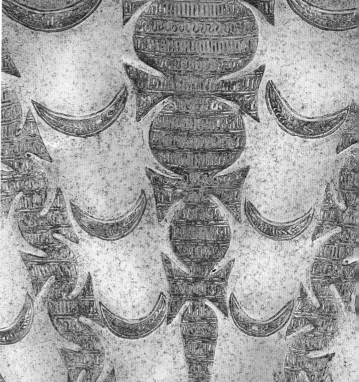

CUARTO CRECIENTE

¿Qué forma tiene
el dibujo del vestido del bebé?

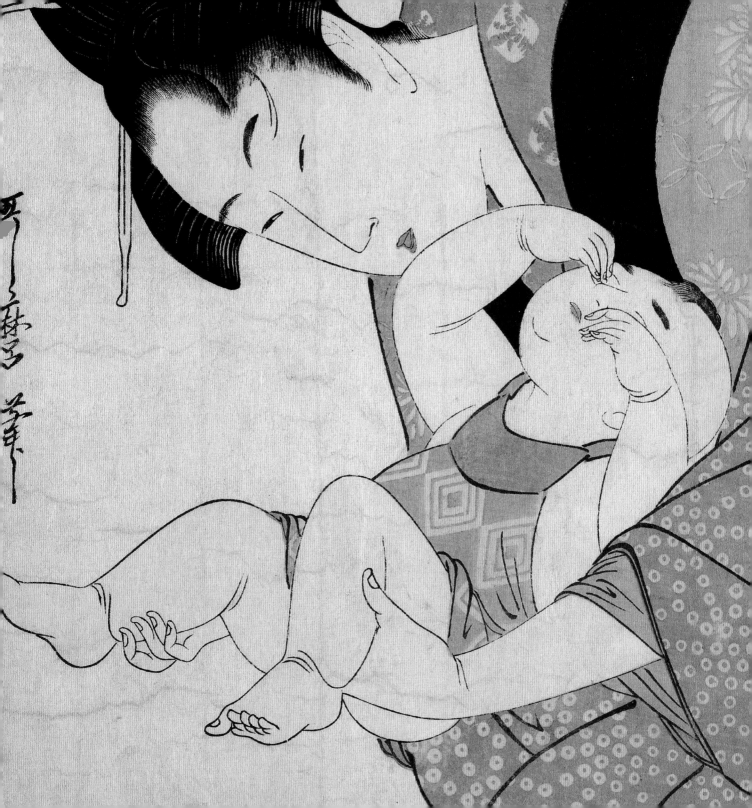

ROMBO

¿Qué forma tiene
el libro de este señor?

CORAZÓN

¿Qué figura sostiene
el ángel entre sus manos?

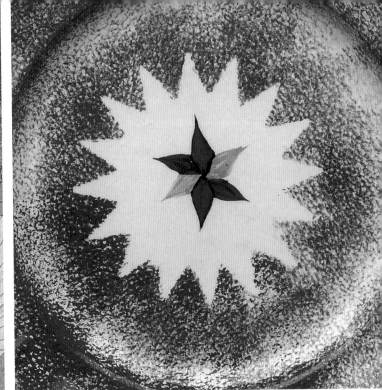

ESTRELLA

Los pies de foto corresponden a los cuadros que hay sobre cada columna, leyendo en sentido de las agujas del reloj, desde arriba y hacia la izquierda.

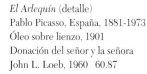

El Arlequín (detalle)
Pablo Picasso, España, 1881-1973
Óleo sobre lienzo, 1901
Donación del señor y la señora
John L. Loeb, 1960   60.87

*Salón del Kirtlington Park servido
para el té* (detalle)
Susan Alice Dashwood, Gran Bretaña,
activa 1886-1900
Acuarela sobre papel
Fundación Edward Pearce Casey, 1993   1993.28

Homenaje al cuadrado
Josef Albers, norteamericano
(nacido en Alemania), 1888-1976
Óleo sobre conglomerado, 1951-1952
Fundación George A. Hearn, 1953   53.174.1

*Bustan (Jardín del perfume) junto a Sa'di:
Malik-i-Salih, el rey de Siria, conversando
con dos derviches* (detalle)
Uzbekistán (Bukhara), período de Safavid,
hacia mediados s. XVI
Tinta, colores y oro sobre papel
Fundación Frederick C. Hewitt, 1911   11.134.2
Folio 80v

Tablero de ajedrez
Norte de Italia o India, s. XVII
Ébano, marfil, hilo de oro, hueso teñido de verde,
cuerno teñido de marrón rojizo en madera noble,
probablemente de cerezo o teca
Fundación Pfeiffer   62.14

El zepelín Prince's. La estrella del Este (detalle)
Norris Lithography Firm, Estados Unidos,
mitad s. XIX
Litografía pintada a mano
Donación de Paul Bird, Jr.   62.696.16

*Pawhba: Mandala de Chandra,
Diosa de la luna* (detalle)
India (Nepal), finales s. XIV o principios s. XV
Óleo sobre lienzo
Donación del señor y la señora Uzi
Zucker, 1981   1981.465

*Tonelero en un campo de Fujimihara
en la provincia de Owari* (detalle)
Katsushika Hokusai, Japón, 1760-1849
Grabado, de la serie *Treinta y seis vistas
del Monte Fuji*
Color sobre madera, 1823-1829
Colección Howard Mansfield, adquisición,
Fundación Rogers, 1936   JP 2557

*La creación del mundo y la expulsión de Adán
y Eva del Paraíso* (detalle)
Giovanni di Paolo, Italia (Siena), activo
alrededor de 1417, muere en 1482
Predela de un retablo; témpera y oro sobre
madera, 1445
Colección Robert Lehman, 1975   1975.1.31

Edredón de obsequio (detalle)
Probablemente de Mary Simon,
Estados Unidos, 1810-¿?
Algodón y terciopelo de seda, hacia 1849
Fundación Sansbury-Mills, 1974   1974.24

Avenida de los Aliados, Gran Bretaña, 1918
(detalle)
Childe Hassam, Estados Unidos, 1859-1935
Óleo sobre lienzo, 1918
Legado de Adelaide Milton de Groot (1876-1967),
1967   67.187.127

Músico y laúd (detalle)
Jane Freilicher, Estados Unidos, nacida en 1924
Óleo sobre lienzo, 1993
Fundación Kathryn E. Hurd, 1995   1995.133

*Procesión transportando pertenencias de Rekhmira
a su tumba* (detalle)
Egipto, Tebes, Sheikh abd el Qurna, Dinastía XVIII
Copia de pintura mural de la tumba de Rekhmira,
hacia 1475 a. C.
Expedición egipcia del Metropolitan
Museum of Art,
Fundación Rogers, 1930   30.4.80

*Paisaje urbano: pared de una habitación de la Villa
de P. Fannius Synistor en Boscoreale* (detalle)
Roma, segundo estilo, hacia 40-30 a.C.
Fresco sobre revoque de cal
Fundación Rogers, 1903   03.14.13

Organizador del artista (detalle)
William Michael Harnett, Estados Unidos,
1848-1892
Óleo sobre lienzo, 1879
Fundación Morris K. Jessup, 1966   66.13

Retrato de un cirujano (detalle)
Países Bajos, 1569
Óleo sobre madera
Colección Theodore M. Davis
Legado de Theodore M. Davis, 1925   30.95.287

Edredón de platos rotos (detalle)
Estados Unidos, hacia 1920
Seda y algodón
Fundación Sansbury-Mills, 1973   1973.205

Velero "Scud" de Filadelfia (detalle)
Nathaniel Currier, Estados Unidos, 1813-1888,
en honor de J. E. Butterworth
Litografía en color, 1855
Donación de Adele S. Colgate, 1951   51.567.14

Las tres casas (detalle)
Paul Klee, Alemania, 1879-1940
Acuarela sobre papel, con cenefa de acuarela, 1922
Colección Berggruen Klee, 1984   1984.315.30

Los tres milagros de San Zenobio (detalle)
Botticelli, Italia (Florencia), 1444/45-1510
Témpera sobre madera
Fundación John Stewart Kennedy, 1911   11.98

Lady Lilith (detalle)
Dante Gabriel Rossetti, Gran Bretaña, 1828-1882
Acuarela sobre papel, 1867
Fundación Rogers, 1908   08.162.1

Escudo (detalle)
Islas Solomon, s. XIX
Cestería, nácar, pintura
Colección Michael C. Rockefeller Memorial
Donación de Nelson A. Rockefeller, 1972
1978.412.730

Pareja bailando (detalle)
Elie Nadelman, norteamericano
(nacido en Polonia), 1882-1946
Pluma y tinta y aguada sobre papel, 1917-1918
Donación de Lincoln Kirstein, 1965   65.12.11

Reina y sota de la baraja del juego Ahorcado
Países Bajos, hacia 1470-1480
Cartón con pluma y tinta, témpera,
con aplicaciones de oro y plata
Colección Cloisters, 1983   1983.515.41-.42

Ilustración de "Mamá Ganso" (detalle)
Kate Greenaway, Gran Bretaña, 1846-1901
Grabado en color, 1881
Fundación Rogers, transferido a la biblioteca
1921   21.36.98

La Manneporte (detalle)
Claude Monet, Francia, 1840-1926
Óleo sobre lienzo, 1883
Legado de William Church Osborn, 1951   51.30.5

Londres: Saint Paul y London Bridge (detalle)
Antonio Joli, Italia (Venecia), hacia 1700-1777
Óleo sobre lienzo
Legado de Alice Bradford Woolsey,
1970   1970.212.2

Puente del ferrocarril en Nogent-Sur-Marne
(detalle)
Jean Baptiste Armand Guillaumin, Francia,
1841-1927
Óleo sobre lienzo, 1871
Colección Robert Lehman   1975.1.180

Pasillo del asilo (detalle)
Vincent van Gogh, Holanda, 1853-1890
Tiza negra y aguada sobre papel Ingres rosa, 1889
Legado de Abby Aldrich Rockefeller, 1948
48.190.2

Interior del santuario Kameido Tenjin (detalle)
Utagawa Hiroshige, Japón, 1797-1858
De la serie *Cien paisajes famosos de Edo*;
grabado de color sobre madera, 1858
Colección Howard Mansfield,
adquisición, Fundación Rogers, 1936   JP 2517

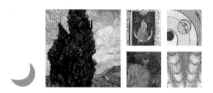

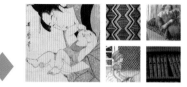

Cipreses (detalle)
Vincent van Gogh, Holanda, 1853-1890
Óleo sobre lienzo, 1889
Fundación Rogers, 1949   49.30

*Sibila Tiburtina muestra a Augusto la Virgen
y el niño* (detalle)
Pol, Jean y Herman de Limbourg, Francia,
activo hacia 1400-1416
De *Las muy ricas horas del duque de Berry*
Tinta, témpera y papel de oro sobre papel
de vitela, 1406-1408
Colección Cloisters, 1954   54.1.1 folio 26v

Ilustración F II del Astronomicum Caesareum
(detalle)
Petrus Apianus, Alemania (Ingolstadt),
hacia 1490-1559
Grabado pintado a mano, 1540
Donación de Herbert N. Straus, 1925   25.17

Porciones de una armadura (detalle)
Atribuido a Kolman Helmschmid, Alemania,
1470-1532
Acera y oro, hacia 1525
Donación de Bashford Dean, 1924   24.179
Fundación Stephen V. Harkness, 1926   26.188.1-.2

Muerte de Britomartis (detalle)
De la serie *Escenas de la historia de Diana*
Probablemente diseñado por Jean Cousin
the Elder, Francia, hacia 1490-1560
Probablemente del taller de Pierre II Blasse,
Francia (París), hacia 1547-1559
Lana y seda
Donación de los hijos de Harry Payne Whitney,
1942   42.57.1

Madre con bebé soñoliento (detalle)
Kitagawa Utamaro, Japón, 1753-1806
Grabado de color sobre madera, 1795
Fundación Rogers   JP 1278

Manto (detalle)
Indios navajos, Estados Unidos (Arizona),
1860-1870
Lana
Colección Michael C. Rockefeller Memorial
Donación de Nelson A. Rockefeller,
1979   1979.206.1039

En la sombrerería (detalle)
Edgar Degas, Francia, 1834-1917
Pastel en cinco trozos de papel tejido, reforzado
con papel y dispuesto sobre lienzo, 1881
Colección Walter H. Leonore Annenberg, 1997
Legado de Walter H.
Annenberg, 2002   1997.391.1

Elijah Boardman (detalle)
Ralph Earl, Estados Unidos, 1751-1801
Óleo sobre lienzo, 1789
Legado de Susan W. Tyler, 1979   1971.395

Ilustración de "Mamá Ganso" (detalle)
Kate Greenaway, Gran Bretaña, 1846-1901
Grabado, impreso en color, 1881
Fundación Rogers, 1921   21.36.98

Joven sosteniendo un libro (detalle)
Vista de Santa Gudule, Países Bajos, hacia 1480
Óleo sobre lienzo
Legado de Mary Stillman Harkness, 1950
50.145.27

*Recuerdo amoroso con motivos de corazón
y flores grabados* (detalle)
Estados Unidos, hacia 1800
Acuarela sobre papel blanco
Donación de Robert W. Forest, 1933   34.100.65

Página de un manuscrito ilustrado (detalle)
Alemania, después de 1561
Libro de torneos; pluma y aguada de color
sobre papel
Fundación Rogers, 1922   22.229

Tarjeta de San Valentín
Estados Unidos, hacia s. XIX
Litografía a color
Colección Jefferson R. Burdick
Donación de Jefferson R. Burdick, 1947
Álbum 606 p. 3v(3)

Cartas (detalles)
Priscilla Roberts, Estados Unidos, 1916-2001
Óleo sobre lienzo, 1956-1957
Adquisición, Elihu Root Jr., donación, 1957   57.87

Postal (detalle)
Franz Karl Delavilla, Austria, 1884-1967
Litografía a color, 1908
Adquisición del museo, 1943   WW#19

Mujer y niño cazando luciérnagas (detalle)
Eshosai Choki, Japón, hacia 1785-1805
Grabado en madera; tinta y color sobre mica, 1793
Colección H. O. Havemeyer
Legado de H. O. Havemeyer, 1929   JP 1739

Plato (detalle)
Inglaterra (Staffordshire), hacia 1825-1840
Barro cocido
Donación de Robert W. de Forest, 1933   34.100.93

La estrella americana (George Washington)
(detalle)
Frederick Kemmelmeyer, Estados Unidos,
hacia 1775-1821
Óleo y papel de oro sobre papel, hacia 1803
Donación de Edgar William y
Bernice Chrysler Garbisch, 1962   62.256.7

*Doble frontispicio de un manuscrito
del Qur'an* (detalle)
Norte de África, s. XVIII
Tinta, color y oro sobre papel
Adquisición, donación de George Blumenthal,
por intercambio, 1982   1982.120.2

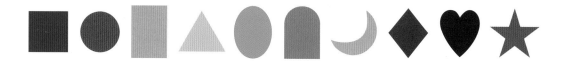